エッセイの力

百歳時代を楽しむ知恵

塩田寛幸 著
田中 崇 協力

はじめに

突然母が亡くなった
一言もことばを交わすことなく
母の中の記憶が消えた
母が書いたものは何も残っていない
もう引き出すことはかなわなくなった
書いて残してくれていれば　と思う

もしあったならば、どれほど大切に思えただろう
あなたのもつ記憶はあなたが生きた証
それはあなただけのものではないはず
それはあなたをしのぶ人が望むもの
今も色あせることなく残るあなたの記憶
書いて残してほしい
エッセイというかたちで

もくじ

なぜエッセイなのか

エッセイは自由なもの
自分のことばで書けばいい
日記はその日の記録をとどめた静止画
エッセイはそのときの記憶を伝える動画
伝わりやすくておもしろい
書きながら人生を振り返る
埋もれていた記憶が甦る
思い出こそが人生の宝

エッセイはむずかしいか

思い出を振り返ると
いくつもの場面が浮かんでくる
その情景をことばにする
あれこれと欲張らない
凝らなくていい
飾らなくていい
削れるところは削り
文末は統一する

上手い文章でなくていい
あの日に戻って
書くことを楽しめばいい

何を書くのか

たとえば修学旅行
なつかしい思い出が甦る
かわいかったバスガイド
はしゃぎすぎた風呂場
しかられた枕投げ
たとえばテレビ
なつかしい番組が浮かぶ
まねて遊んだウルトラマン

笑いころげた全員集合

毎週ドキドキしたベストテン

遠い昔を振り返れば

友だちのこと　家族のこと　ペットのこと

学校のこと　食べ物のこと　遊びのこと

悲しかったこと　苦しかったこと　恥ずかしかったこと

テーマは次から次へと湧いてくる

台所

我が家の台所は暗くて冷たかった。昭和三十年代の初めの頃。システムキッチンなる文明が入る以前のこと。台所には、かまど、七輪、そして石板でできた流し台があった。棚の上にはなべ類がきちんと並び、母がいつも熱湯で消毒していたまな板も定位置に立てかけられていた。母は台所では下駄を履いていた。床はセメントだったので、下駄の音で母が忙しく働いているのがよくわかった。トントントンと台所から聞こえる包丁の音やパチパチというごはんを炊くときの火がはじける音もなつかしい。

母は几帳面だった。必要でないと思うものは捨て、家の中がきちんとしていないと気がすまない人だった。私が幼い頃大事にしていたおもちゃもいつの間にかなくなっていた。私が庭に道を描いて走らせていたブリキのバスやトラックの中の、せめて一つや二つは残しておいてほしかった。おそらくきれい好きの母にしてみれば、土で汚れたおもちゃなどさっさと捨ててしまいたいと思ったのだろう。

母は朝も早くから起きていた。当時の朝ごはんの支度といえば、かまどで炊いていたから、まきをくべたり、七輪をおこしたり、すべて時間のかかることばかりだった。十分に余裕をもってことにあたるその姿は今も私の心に残っている。

母の台所姿は今も思い出すが、そこから少しも学んでいないのが今の私である。

書きはじめる前に

手書きにするか

パソコンで打つか

手書きは小説家気分になれる

でも訂正・追加に手間がかかる

パソコンは修正が簡単

でも、誰が打っても同じ文字

ではどうするか

パソコンで打って

パソコンで直して
清書は手書きすればいい
ではいつ書くか
退屈な時間を使えばいい
歯医者での待ち時間
買い物中の家族を待つ車の中
旅の途中の列車の中
ただ待つのはもったいない

書くときの心構え

エッセイに決まった形式はない
でも大事なポイントはある
構成は、始め、本文、終わりの三部
字数は原稿用紙三、四枚
文の長さは一、二行
話を変える時は改行
大切にしたい臨場感
それにはリアルな場面描写

文末はすっきりさせたい
「～である。」が短くていい
「～だ。」で終わるのもいい
でも、繰り返すと単調
「～だった。」も多くなりがち
くり返しを避け
うまく使い分けたい

●事実や状態を表す

・・・ある。
・・・であった。
・・・だった。
・・・いる。
・・・いた。
・・・する。
・・・した。
・・・のだ。

●考えや推測を表す

・・・であろう。
・・・だろう。
・・・らしい。
・・・という。
・・・と思う。
・・・のであろう
・・・はずだ。
・・・そうだ。
・・・なかろうか。

●保留を表す

・・・おくとしよう。

●不安や驚きを表す

・・・であった。
・・・あるまいか。
・・・のようだった
・・・あるまい。
・・・ないか。
・・・しまう。
・・・どうしよう？

●印象を表す

・・・みたいだ。

●意外性を表す

・・・でしかない。
・・・にすぎない。

●理由を表す

・・・だから。
・・・から。

●疑問を表す

・・・か。
・・・のか。
・・・どうだろう。

●否定を表す

・・・ない。
・・・なかった。

●体言止め

・・・夏の夕暮れ。
・・・したのは私。

●**倒置法**

している・・・のように。
知った・・・を。
・・・するたび思い出す・・を。
・・・しよう・・・してしまうまで。
・・・と思う・・・のだと。

●せりふにつながる

・・・しながら言った。
・・・はこう言った。
・・・は思わず叫んだ。
・・・は叫んだ。
・・・はこう説明した。
・・・がささやいた。
・・・小声でつぶやいた。
・・・は話し続けた。
・・・した声で言った。

書きはじめる

テーマを選べば
仮のタイトルをつける
それは
スタートラインに立つ感じ
シンプルでいい
平凡でいい
思いついたものでいい
それでスタートを切る

タイトルの確定は書き終えたあと
読み直してもう一度考えてみる
より魅力的なことばを

緑のボールペン

万年筆が主役だった頃のこと。ボールペンもあるにはあったが、万年筆のようなタイプの高級品しかなかった。

そこへ全くちがうタイプの大量生産されたボールペンが登場したのである。それは、ボディもキャップもプラスチックでできていた。値段はたしか一本三百円ぐらいだっただろう。今よりはかなり高かった。

当時の子どもは新製品がでたと聞けば、先を争って欲しがった。私はうわさに聞いていた緑色のボールペンが欲しかった。もちろん、インクが私の一番好きな緑色なのだ。それまでは黒と青しかなかったから新鮮に思えた。

新登場のボールペンは別の町の大きなデパートでしか売ってなかった。デパートに入ると、大急ぎで文房具売り場に向かった。私はお目当てのボールペンをすぐに見つけた。見つけたというよりも向こうから私の目に飛び込んできた。早速置かれていた試し書き用の紙に線を引いてみた。それまで味わったことのない書き心地に感動し、迷うことなく買った。

あれから数十年たった今、何十色ものボールペンが売られている。文字通りより取り見取りの豊かな時代だ。この歳になっても文房具売り場に立ち寄ると、自然に緑色のボールペンを探している自分がいる。

カツカレー

そのレストランは町で唯一のデパートの隣りにあった。家族が小さな幸せを外食に求め始めた頃のことだった。

日曜日にデパートでささやかなぜいたく品を買い求めた後、大勢の人がその店の前に長蛇の列をつくっていた。一時間待つのは当たり前。当時はカレーライスもオムライスも外食でしか食べられなかった。当時の人気のメニューはカレーライス。小学生だった私は、それまでカレーライスはよく食べていたが、カツカレーは食べたことがなかった。カツレツというものがまだ家庭料理ではなかったのだ。

数年後、中学生になった私にカツカレーを食べる日がとうとう来た。何気なく、一口食べた途端、それまでに味わったことのないおいしさにショックを受けた。サクサクとした衣。カツを噛んだときの甘味。それらを包み込むカレーの風味。それまで食べようとしなかった自分が悔やまれた。

カツカレーは楽しかった日曜日を思い出させる。今でも外食の機会があるたび、カツカレーを選んでいる。なつかしい級友に会うかのように。

書き出しはどうするか

書き出しはイントロ
主旋律を予感させる
たとえば
自然な入り方でもいい
いつのことか
どこでのことか
どんな場面だったか
また

印象的な入り方でもいい
会話から
問題点から
期待させる文から
書き出しは、水先案内人

●時から始めるもの

もどらない天ぷら（仮題　こんにゃくの天ぷら）

あれは昭和三十年代の初めだった。その日も近所の子供たちが集まって遊んでいた。そこへ同い年の友だちが何かを食べながらやって来た。それは、何と大きなこんにゃくの天ぷらだった。

一目散に家へ戻り、五円玉を手にして、通りの角にあった天ぷら屋に走った。息を切らせながら注文すると、店の人が天ぷらを新聞紙に包んで手渡してくれた。みんなのもとへ戻って食べようと歩きだしたとき、黒い大きな犬が近づいてきた。その犬が私の天ぷらを見つけて、襲いかかってきたのだ。たまらず逃げ出したが、犬から逃げ切れず、恐怖のあまり、私はたまらず天ぷらを落としてしまった。それから後、また同じことが起こりそうで、二度とその店に行くことはなかった。

何十年もたった今でも、妻の「今日は天ぷらですよ。」という声を聞くと「こんにゃくも頼むよ。」とリクエストしている。

●場所から始めるもの

一線を引く英国人　（仮題　イングランドのB&B）

イングランドを一人で旅していたときのこと。駅から民宿まではそう遠くなかった。二階建ての小さなその家はすぐに見つかった。

ノックすると、中から白髪のおじいさんが出てきた。

「グッド・イーヴニング！今晩泊めていただけますか？」

すると、そのおじいさんは、

「タバコ吸いますか？」とたずねてきた。

「いいえ、吸いません。」

そう答えると、おじいさんの顔つきは和らいだ。

「それならいいですよ。うちのばあさんはのどが弱いので、タバコを吸う人はお泊めしないのです。」

おじいさんは階段を上がり始めた。私は、その時、寝るにはまだ早いので、少

しおじいさん、おばあさんと話がしたいと思い、

「このあと、よろしければ少しお話しませんか。」

とおじいさんの背中に向かって、声をかけた。

すると、おじいさんは振り返って、「ノー！」と言った。

私は驚いた。前日に泊まった民宿でも「ノー！」と言われていたのだ。

外国人の客と話すのはおもしろそうだから少し無理をしてでも時間をつくってくれるだろうという私の期待ははずれた。

そこで、私は勇気をふりしぼって、もう一度たずねた。

「Why?」

それに答えておじいさんは、

「We have our time!」と言った。

その思いもよらないことばに何も言えなかった私は、自分を曲げない英国人の頑固さを実感したのである。

●状況説明から始めるもの

夏の日の情景　（仮題　わらびもち）

「チリン！チリン！」という鐘の音が聞こえると、いつもの場所に駆けていった。

わらびもちの自転車販売がやってきたのだ。まだ各家庭に冷蔵庫がなかった時代のこと。当時、男の子はランニングシャツに短パンで、みんな外で遊んでいた。車があまり走っていなかったから、道路は子どもたちの遊び場だった。

外で遊んでいると欲しくなるのがおやつ。そこに目をつけ、いろいろなおやつ売りがやってきていた。わらびもち、アイス、焼き芋、水あめ、さらには、ロバが引くパン屋など。

その日も鐘の音に誘われ、いつもの場所に行くと、たくさんの子どもたちが「わらびもち売りの自転車の屋台に群がっていた。おじさんは手慣れた手つきでわらびもちを盛りつけている。子どもたちは今か今かと順番を待っている。わらびもちを手にした子どもは、少し離れたところに立ち止まって、後ろに並んだ子どもたちのうらやましそうな視線を受けながら食べている。

食べ終えた子どもは、またそれぞれの遊び場に戻って行く。やがてその屋台はゆっくりとゆれながら去っていく。「チリン！チリン！」という音を残して。

●会話から始めるもの

「急いでください」（仮題　間一髪）

「すみません！」

あせっていた私は列のすぐ前の人に声をかけてしまった。ワシントンD．C．からウエスト・バージニア州のハーパーズ・フェリーに向かう列車の出発時間が迫っていたのだ。

ようやく前があと二人になったのだが、出発まであと三分しかない。

（まずい！これだとだめかもしれない。）そう思って順番を先にしてもらうよう頼んだのだ。すると、

「どうぞ、お先に！」

と譲ってくれた。

それでも時間は刻々と過ぎていく。

ついにあと一人になったので、前の人の背中越しに窓口の職員に急ぐように頼んだ。だが、少しも急ぐ様子はなかった。

「ハーパーズ・フェリー一枚！急いでください。」

「わかりました。」

やっとのこと切符を手にしたが、出発時間はもう過ぎている。（なんとしても乗るぞ！一日に一本しかないのだ。これを逃すともう行けない。）走りながらそう思った。待っている客の間をすり抜けるとホームが見えてきた。列車はすでに動きだしていた。

いくら走っても一向に列車に近づけない。

（ここであきらめられるか！）

その思いは通じた。なんと列車の最後尾の車掌が扉を開けて「さあ、来い！」と手招きしているではないか。

勇気づけられた私はさらにスピードを上げ、列車に追いついた。手すりにしがみつき、ステップに足をかけると、車掌が力強い腕で引き上げてくれた。

私は息を切らしながら遠ざかるホームを見つめていた。

● 主題を示すことから始めるもの

見上げていた木（仮題　木登り）

親戚の家の近くにある神社の境内にセンダンの木があった。それらの木に登れることが子どもたちのあこがれだった。私にとっても早く自分の力だけで登ることが願いだった。

私も小さい頃は登れず、木を見上げてはため息をついていた。とりつくための枝に手が届かず、その木に登ることはかなわぬ夢だった。何とか恰好をまねしてはみるが、すぐに手の力が抜けていき、あきらめてしまう。そんな悔しい日々が続いた。

ところが、いよいよその木に登る日がやってきた。まずは力いっぱい幹にしがみつく。汗ばんでくる。手を少しずつ上へのばす。幹の出っ張りに体重をかける。そして、また次の出っ張りを見つける。急がなければならない。体の中が熱くなってくる。疲れて指先の感覚も鈍くなる。でももう引き返せない。

「がんばれ、もうちょっと！」と上級生の声が聞こえる。何とかして頭の上にある枝をつかみたいが、汗ですべる。しかし、ここから落ちれば、きっと大けがをする。落ちた瞬間に幹であごを打つか、後ろ向きにころがって後頭部を地面で打つかだ。その恐怖から逃れようと再び勇気をふりしぼり手をのばすと、めざす枝に届いた。下から見上げていた仲間も自分のことのように喜んでくれている。

私はそのとき何とも言えない心地よい風を感じた。はじめて見たあの景色を今でも忘れない。

●なぞめいた一文から始めるもの

焚きつけられた私　（仮　風呂炊き）

M先生はその日に限ってきびしかった。小学四年生のときだった。懇談会で「この子には風呂焚きをさせなさい。」と母親に言ったことからすべては始まった。重い責任を背負わされてしまったものだ。

当時の家庭の風呂と言えば、「五右衛門風呂」と呼ばれる鉄製の風呂で、下から直接火で焚くものだった。そのような風呂の焚き方で一番難しいのが「火をつける」ことだった。特に冬の風の強い日や雨の日などはなかなか火がつかなかった。赤い炎が上がったかと思うと、すぐに白い煙にかわることも多かった。そうなると、また一からやり直しだった。そんなことを三回も四回も繰り返す日もあった。

まずは新聞紙を丸めて、その上に「センコウギ」と呼ばれる細い木を乗せてマッチで火をつける。しばらくして、センコウギに火が燃え移ったら太い木を足していく。そのあとは湯加減を見ながら火を調整していく。

そうやって毎日風呂焚きをするので確かにうまくなり、悪条件のときにも上手に焚ける自信がもてるようになった。

ときには近くの店に木を注文しに行かなければいけなかったが、そのおつかいも私の仕事だった。

「ごめんください！」と言うと、奥から店の人が出てくる。そのことばづかいに少し大人になった気がしたものだ。

なぜM先生が私に風呂焚きをさせたのか、今ならよくわかる。人は何ごとも体験に学び、継続することで上達する。そんなことを教えたかったのだと思う。

本文はどう書くか

時間の流れに沿って
感動を伝えていく
詳しすぎず
広げすぎず
五感に訴えるように
読み手をその場にさそう

●子どもの頃の思い出

冷や汗の瞬間　（仮題　石垣）

私のまちには小さなお城がある。そのお城はまちのシンボルであったが、子どもの頃の私にとって格好の遊び場だった。夏になると虫網をもって昆虫採集に行っていた。冬には草が枯れて登りやすくなった石垣で遊んだ。お城には「かぶと岩」と呼ばれる場所があり、石垣を登るスタート地点だった。

ある日のこと、私を含めた四、五人の近所の仲間たちがそこから天守閣のある最上層めざして登り始めた。最上層までは石垣が五層あった。年長者から一人ずつ順番に登っていった。身の軽い私にとって石垣を登ることは全然怖くなかった。

三層目までは一気に登って一息ついた。上を見上げると、あと二層だ。次の層はさほど高くなく、すぐに一番上の石に手が届く所まで登った。そこから登り切るためにつかむものを探した。目の前にちょうどいい木の株があった。「よし、これだ！」と思って、手を伸ばし、その切り株をつかんで体重をかけた。すると、バキッという音がした瞬間、身体が石垣から離れた。なんとその切り株は腐っていたのだ。空中に投げ出されたあと、どうなったかは覚えていない。落ちていくときの感覚はスローモーションのようだった。その直後強い衝撃を全身に感じた。気がつくと口の中を切っていたが、幸い頭は打っていなかった。

立ち上がってふと横を見た瞬間、冷や汗が流れた。なんと、そこには先のとがった竹の切り株が並んでいたのである。

早起きは三文の得 （仮題　宝さがし）

小学校時代の夏休みのこと。向かいの家に卓球台があり、夕方になると、近所の子どもがよく集まって遊んでいた。ある時、みんなで一緒に海水浴に行くことになった。暑さを避けるため朝六時に集合し出発した。

海水浴場のある公園に入り歩いていると、遠くの方に何人かの人影を見つけた。自分たちより早く来ている人がいることに驚いた。よく見ると、彼らは札のようなものを持って、松林の中をうろうろしていた。松の根元や幹の分かれ目、石の下などにその札のようなものを隠していた。その不自然な動きが気になった。「行くには行けないし、帰るに帰れない。」見てしまったことを気づかれないようみんな木の陰で立ち止まって様子を見ていた。宝探しの札を隠していたのだ。

しばらくして、海水浴場に宝探しの案内放送が流れた。私たち仲間は密かに開始の合図を待っていた。放送直後、みんな一目散に目に焼き付けた札の隠し場所に走った。札は確かにそこにあった。場所があいまいな札は手分けして探した。全部で十数枚の札が集まった。見つけた札を独り占めしようとする者はいなかった。「みんなで協力してやった」という思いと裏腹に共犯の意識もあった。景品の交換はみんなで手分けして行った。よく覚えていないが、スイカをもらって食べた記憶がある。それと、お菓子をもらって持って帰ったのを覚えている。

早起きをして得をしたはずの思い出だが、少しも楽しくない。楽しかったのは、夢中で札を探していた時だけだった。その日は「三文の得」だったが、「三文の徳」ではなかった。

●学校生活の思い出

スローモーション体験（仮題　私の事故体験）

かの強打者、川上哲治さんにはボールが止まって見えたという伝説がある。「そんなバカな。」と笑う人もいるだろうが、私は本当だと思っている。それには理由がある。

その日の朝、滅多にしない寝坊をしてしまった。大急ぎで制服を着て、自転車で学校へ向かった。小学四年の時から高校二年のその日まで、無遅刻、無早退、無欠課だった。そんな自負もあって遅刻したくない私はスピードを上げて通学路を急いだ。そして、いつもの十字路に差しかかった。少しスピードを落とし、左右を見て渡ろうとしたその時だった。左から軽トラが来ていた。車がスピードを落としたので、止まってくれたと思って直進した。ここからがスローモーション体験が始まる。

自転車の前輪が軽トラのバンパーにぶつかり、ハンドルごとはじかれた。それと同時に体が宙に浮いて斜め前に回り始めた。視界がゆっくりと回転し天地が逆さになった。地面が近づいてきた。尻と腕に強い衝撃を感じた。首を起こして周りを見た。車のタイヤと倒れた自転車と人の足が見えた。それまでは音のない世界だった。誰かに「大丈夫か？」と声をかけられ、体を起こそうとしたが抑えられた。その時「しまった、遅刻してしまう。」と思った。

そのあと、自力で起き上がった。「大丈夫です。」と言ったが、学校ではなく病院へ運ばれた。病院に着いたとたん尻と肘の痛みが遅れてやって来た。痛みもアドレナリンのせいで遅刻するのか！。尻と肘の打撲だけですんだのは不幸中の幸いだった。

後日、警察に呼び出された。一時停止不履行の違反について有難いお説教をいただき、反省させられた。体の痛みはすぐに消えたが、皆勤の記録が途絶えたことの後悔の念は今も残っている。

胃の中のカエル　（仮題　避難訓練）

高校時代の思い出といえば、部活動や恋愛、友情など「これが青春だ」的なものが定番だろう。だが、私の一番の思い出はそんなものではない。

全校集会でのことだった。冬服だったので季節は秋か冬だろう。避難訓練の放送で全校生徒が運動場に移動し始めた。階段を下りて校舎を出た所で強面の体育教師に肩をつかまれ、「ちょっと手伝え。」と言われた。もちろん拒否できない。体育教師三人に連行されて別館の校舎に入った。「何か荷物を運ぶのか?」と思っていたが、階段を上がり始めた時に、いやーな予感がした。屋上に出て、隅にある灰色のカバーで覆われた物体の横に連れていかれた。それは避難用の脱出シューターだった。予感は的中した。「これをのばして下に垂らすぞ。」と言って、体育教師三人は準備を急いだ。

体育教師が下に向かって準備完了を告げた。私は五段ほどの階段を上がってシューターの入口に座った。下のざわめきで、みんなが私に注目しているのがわかった。入口は直径六十センチくらいで、開いた口から喉の奥を覗いている感じだ。

シューターはごわごわしたビニールのような分厚い布でできていた。指示されたとおり、怖々足から入って両手を上げ、体をまっすぐに伸ばした。が、落ちない。体育教師が上から私を押したが下がらない。シューターの布の内側が固くくっついて広がらないのだ。私はシューターの中で「気を付け、万歳状態」で止まっている。脱出シューターなのに脱出できない。

「腰を振ってみろ！」と上から体育教師が怒鳴った。指示通りに腰を前後左右に振った。それでちょっと下がったが、地面まではまだ遠い。今度は「手も足も振るんじゃや！」と怒鳴られ、手と足と腰をくねくねと動かした。全身くねくね運動と恐怖心と羞恥心とで全身汗だくになった。少しずつ下がっていたが、それでも地上はまだ遠い。蛇ににらまれたカエルが、蛇に飲まれて胃の中でもがいているようだ。三度目の怒鳴り声が聞こえた。「何とかして降りろ！」。何とかして欲しいのはこっちだ。

もがき続けた末、やっとのこと地面に近づき、下から足を引っ張られた。全身汗だくで粉まみれ、制服がめくれ上がって、へそ丸出しの格好で引きずり出された。胃の中のカエル、尻から救出されて地上に帰る。

●家族との思い出

カレーの味わい　（仮題　母のカレー）

久しぶりにカレーを作った。暑くなるとなぜかカレーが欲しくなる。暑さと辛さで汗が噴き出すとわかっていながら、カレーを食べたくなるのだから不思議だ。特に夏場は辛いカレーが食べたくなる。

子どもの頃は外食することがとても贅沢だったので、カレーもいつも母が作ってくれていた。ドロリとした焦げ茶色のカレーではなく、サラサラで黄土色だった。玉ねぎとジャガイモとニンジンは入っていたが、肝心な肉はなかった。代わりに油揚げとちくわが入っていた。かまぼこが入る時もあった。カレーは昔、「黄色肉入り汁かけ飯」と呼ばれていたらしいが、我が家のカレーは「黄色肉なし油揚げちくわ入り汁かけ飯」だった。そのうち肉が入るようになったが、はじめは鶏肉だった。子どもの頃は鶏肉が嫌いだった。鶏肉の皮が気持ち悪くてホントに鳥肌が立った。

あの頃のカレーは、カレーなのに辛くなかった。かといって甘くもなかった。アメリケン粉ばかりで香辛料が少なかったのだろう。近頃のカレーには二十種類以上もの香辛料が入っているらしい。それだけですごいカレーだと思ってしまう。

我が家のカレーの進化はめざましかった。エスビーのモナカカレー、グリコのワンタッチカレーを経て、ハウスのバーモントカレーに至った。リンゴとハチミツが入っていることに驚いた。子どもながら甘口カレーは好きではなかった。カレーは辛くなくてはならないと思っていた。今もそう思っている。

誕生日のカレーだけは牛肉入りだった。プレゼントも小遣いもなかったが、そのカレーだけで十分嬉しかった。飲むように食べた後の皿を舌でピカピカになめ尽くした。すると、母が「まだついでなかったかな。」と笑いながらお代わりをしてくれた。

もうあの頃のようにカレーを喜ぶことも誕生日を待ちこがれることもなくなってしまった。

●趣味と私

なにこれ！　（仮題　包丁）

長年、包丁を買うことがなかった。それは不便を感じるほど使っていなかったからだ。ところが、退職して炊事をするようになってから、包丁の切れ味が気になり始めた。時々研いでいるから普通に切れるのだが、キャベツを千切りにするには刃長が足りない。それにレストランで見るような細さに切れないのだ。「腕の問題だけではないぞ。」と思って調べると、料理人は三徳包丁など使っていない。「シェフナイフ」とか「牛刀」を使っている。刃長が二十センチ以上ある長いやつだ。我が家の三徳包丁より四センチ以上長い。この差は大きいにちがいない。

ネットや書店で包丁をいろいろと見てみると、安くても一万円くらいするし、高級品だと二、三万円もする。「よく切れるだろうな。」と「でも高いなあ。」の間で数ヶ月悩んだ。すばらしい切れ味を期待する一方、高値ゆえに悩んでいる私を見かねた妻が「毎日使うものやから思い切って買ったら？」と背中を押してくれた。

早速、次の日、刃物店を訪ねてみた。美しい縞模様が入った刃長二十一センチの牛刀が目に止まった。値段は八千円ちょっとと安価だった。切れ味の良さを推す店員の説明とその牛刀の美しさと手頃な値段にひかれて、ついに買うことにした。

家に戻り、切れ味を試してみようと、玉ねぎを半分に切った瞬間だった。「なにこれ！」力を入れなくても牛刀の自重だけで切れた。そう感じるほどの切れ味だった。切れ味を楽しみながら玉ねぎをスライスしたあと、キャベツを千切りにした。驚くほど薄く、しかも軽く切れた。レストラン並みだ。改めて日本の刃物の素晴らしさを実感した。

帰宅した妻に牛刀の切れ味の良さを報告し、試してみるように急かした。大げさな話だと思っていた妻も、ちくわを切った瞬間「なにこれ！」

●名前と私

似て非なる（仮題　私の名前）

小学校で漢字を勉強するが、その時に自分の名前を漢字で書く練習もする。この頃に自分に付けられた名前の読みや意味を知ることになる。

私の名前は「崇」で「たかし」と読むのだが、訓読みで「あがめる」「たっとぶ」と読む。辞書を見ると、「山が縦に高くそびえている様。転じて気高い。高くそびえるものをあがめる。高く持ち上げる。終わりまで貫き通す。」とある。名字に比べると名前はかっこいい。田んぼの中で気高い山をあがめているのが自分の名前だ。

はじめて辞書を手にした日、みんなが漢字の意味を調べていた時に、突然、友だちが「たかしはたたりや。」と言った。「ほんまや！」その子の席に集まった男子が言った。彼らは辞書を持って私の席にやってきた。「まさか！」と思いながらその辞書を見た。一瞬ドキッとしたが、すぐ違うことに気が付いた。「たたり」は

「祟」という漢字だった。それは「出」の下に「示」で、「山」の下に「宗」とよく似ていた。誤解はすぐ解けたが、その後しばらくの間からかわれ「たなかたたり」と呼ばれた。

「祟」と「崇」は音読みも似ている。「崇」は「スウ・シュウ」で「祟」は「スイ」と読む。実に紛らわしい。それ以上に問題なのは、似ているけれど意味がまったく違うことだ。「あがめる」と「たたる」とでは意味が真逆である。似て非なるいやな感じの漢字だ。

ところが、この二つの字はつながっている。つないでいるのは、怨霊になって祟りをもたらしたとされる崇徳上皇である。「崇」と「祟」が見事に一体となってつながっている。「崇」の漢字は「祟」から生まれたのではないのかと思えるほどだ。

崇徳上皇はここ讃岐では「崇徳さん」として親しまれ大事にされている。名前つながりの私としては、祟られないよう、しっかり崇徳さんを崇めよう。

東西問題　（仮題　私の名前）

日本の東と西とではいろいろな点でちがいがあるのは知られている。エスカレータで立つ位置が東京と大阪では左右反対になるとか、うどんのつゆが関東では濃く、関西では薄いなど。

そのちがいの一つに名前の呼び方がある。私の名前は「シオタ」だが、関東へ行くと、「シオダ」と濁る。たしかにパンで有名な会社の名前は「ヤマザキ」で、関東にある。ところが、私の地元も含め西日本では「ヤマサキ」と読み、濁らない。

あれは四十年以上前、大学に入るため初めて上京した折りに、そのちがいを知った。「シオダ」と呼ばれても自分のことのようにはなかなか思えなかった。

大学では授業中に先生から指名されることがあったが、そのときクラスには「千代田」という学生がいた。西日本では「シオタ」と「チヨダ」はまったくちがうのだが、関東では「シオタ」という私の名前は「シオダ」と濁るだけでなく、アクセントも変わる。私の地元では「シオタ」と平板に発音するのに対し、「シオダ」

と「シ」が高くなる。すると、「シオダ」も「チヨダ」も似た音になるのだ。そこで困ったことが生じる。先生が我々のどちらかを指名した時、我々二人は聞き取れず、「どっちだ？」と互いに顔を見合わせることが度々あった。

それだけではなかった。大学時代は寮生活をしていたが、ある年の新入寮生の中に「ウシオダ（潮田）」という名の学生がいた。それ以来、大学でも寮でも名前の呼び方のまぎらわしさに悩まされることになった。

ときおり館内放送で電話の呼び出しをされて事務室へ行くと、潮田君も来ていることがよくあった。「シオダ」と「ウシオダ」とでは字数がちがうのだが、放送でいきなり名前を呼ばれると名前の最初の「ウ」の音は聞き取りにくい。「シオダ」なのか「ウシオダ」なのか、とても聞き分けられるものではない。呼ばれるたびに階段を駆け下り、電話のある部屋の前で二人がはち合わせ、「この電話はどっちだ？」と互いに苦笑いしながらその部屋に入っていった。

終わり方はどうするか

文章の終わりは
飛行機の着陸のように
エッセイのテーマを
読み手の心に落ち着かせるもの
たとえば
自分なりにまとめ
共感を促す
情景描写で終わり

余韻を残す
キーワードを使って
印象を強める
表現を工夫して
味わい深く終わりたい

● 自分なりにまとめる

ハレと共に去りぬ　（仮題　生菓子）

今頃の子どもたちは和菓子よりも洋菓子の方が好きらしい。和菓子好きの私にとってはそれまでずっと続いてきた何かが途絶えたような、一抹の寂しさを覚える。和菓子は日本人の暮らしの中で大切にされてきた。

和菓子はどこか非日常と結びついたものであった。法事のとき、結婚式のときなどのハレの日にはきまって二段の折詰がおみやげになった。そして、その中にはおいしそうな生菓子が入っていた。

結婚式の場合には、大きな真っ赤の伊勢エビを型取った生菓子。そしてそのとなりには緑色のようかん。その他いろいろな果物の形をした生菓子が折詰に入っていた。今思えば、その彩りはきわめて刺激的で毒々しかった。しかし、当時の私の目にはぜいたくな気分をさそう魅力的な色だった。

伊勢エビの生菓子は全体が白あんでできており、表面には真っ赤な食紅が塗られていた。目玉には小豆が使われていた。それを食べようとしたときには、きまってそれをつくった職人芸に心惹かれ、その形をくずすのは気がひけた。

いつの間にか結婚式の折詰も消え、それとともにあの伊勢エビの生菓子も、あの緑色のようかんも消えてしまった。

ふだんの生活ではなんらぜいたくな食事をしていなかった時代の「ハレ」の日の意味を子どもの心にも感じさせた生菓子。それが消えていったことの影響は決して小さくはないのかもしれない。

●情景描写で終わる

「ワン・モア！　ノー・モア」（仮題　サンフランシスコのケーブルカー）

その日、私はサンフランシスコの坂道でケーブルカーを待っていた。やがて、向こうから坂を上がってくる一台のケーブルカーが見えてきた。デッキには手すりにつかまった乗客たちが鈴なり。

やがてケーブルカーが目の前で止まった。運よくすぐ前の人が降りた。その瞬間、「ワン・モア！」と運転手が叫んだ。ところが、そのあとすぐ運転手は「ノー・モア！」と私に向かって言った。どうやら「ワン・モア！」という指示と同時に別の客が先に足を乗せていたようだ。しかし、私にしてみれば一人分のスペースが目の前にあるのだから、今さら降りる気にはなれなかった。

ケーブルカーは動きだし、少しずつ加速していた。その時、運転手が振り返って鋭い目つきで私に言った。

「アイ　セッド　ノー・モア！」

次の瞬間、運転手がブレーキに手をかけた。加速していくはずのケーブルカーがきしむ音とともに減速していく。やむなく「ＯＫ！　ＯＫ！」と言って、ケーブルカーから飛び降りた。なぜそれほどまでに厳しくするのか理解できなかった。

しばらくして次のケーブルカーがやって来た。

ふと見上げると、そこにカリフォルニアの青い空が広がっていた。

●キーワードを使う

「トレビの泉はどこですか」（仮題　怪しい男）

ローマに着き、ホテルでのチェックインを済ませるとすぐに有名な「トレビの泉」に向かって歩き出した。すると、その直後中年の男が声をかけてきた。

「すみません。トレビの泉はどこですか。」

「ああ、ちょうど私も今行こうとしているところです。」と答えると、男は「そりゃ、よかった！」と満面の笑みを浮かべた。そのあと男は歩きながらいろいろと話しかけてきた。自分は石油関係の仕事をしており、ビジネスでここに来ているとか、アメリカの有名な大学を出ているとか、かなりおしゃべりだ。話によると、男は大した人物のようだ。

何やかやと話を聞きながら歩いているうちに、トレビの泉と書かれた案内標識を見つけた。「もうすぐですね。」と声をかけると、男はうれしそうに笑った。

トレビの泉には予想どおりたくさんの人がいた。早速、コインを後ろ向きに投げ入れると再びここに戻って来られるという有名なしぐさをやってみた。そのとき男が突然こう訊いてきた。

「カンツオーネは好きか。」

「ええ、好きですよ。」

そう答えると、男は言った。

「それなら、この近くにいい店があるから、行かないか。」

たしかにこのローマで本場のカンツオーネが聴けるというのは魅力だ。

そう言ったかと思うと、その男はスタスタと歩き出し、角を曲がって視界から消えた。

男の背中を見ながら妙なひっかかりを感じた。トレビの泉に着いた途端、その男はこのあたりのことをよく知っていると言った。男の語り口は巧みだったが、どこか怪しいと思う気持ちはぬぐえなかった。

あとを追って店らしき建物のドアを開けて中に入ると、その男はすでに飲み物を注文してグラスを手にしていた。

私は「悪いけど、夕暮れのローマを散策したいので。」と誘いを断って店を出た。

日本に戻り数か月がたったある日、新聞を見て驚いた。ローマで日本人旅行者がぼったくりバーに誘われ、ビール一本数万円を払わされるという。その誘い文句はなんと「トレビの泉はどこですか。」

文章を見直す

書き終えたら
声に出して読んでみる
そうすれば
文の流れや長さもつかめ
句読点の位置も点検できる
くり返し読み直し
短くできないか？
削れないか？

一文にできないか？

入れ替え・差し替え

付け加えをすべきか？

もう一度考えてみると

読みやすくなる

［見直し例］

天の助けか　（仮題　駐車場の奇跡）＊傍線部が直したあと

ある日、病院に行って車をとめて歩き出したときのことである。一台分空いたところに駐車しようとバックしている車が目に入った。

なぜかというと、そのバックの仕方が何とも不安定だった《ぎこちなかった》からだ。不思議に思って運転席を見ると、八十すぎと思われる《に目をやると、年の頃なら八十を超えている》おじいさんが乗っていた。助手席にはそのおじいさんの妻だと思われる《にお似合いの》おばあさんが座っている。高齢にもかかわらず《高齢者が》

車を運転していることに驚いたことも《手伝って》あって、思わず立ち止まり、バック《の》する様子を見ていた。

ハンドル操作が危なっかしい《危なっかしいハンドル操作の》上に、スピードも不安定であった。すぐうしろの柵にぶつかりそうになった《ぶつかるのではないかと思われた》ので、思わず「あっ！」と叫んでしまった。

すると、その声に気をとられた《つられて、後方を見ていた》おじいさんが私の方を見てしまったのである。

そのため心配《予想》した通り、うしろの柵にガシャンとぶつけてしまった。まわりでそれを見ていた人も「ああ、あ・・・」という声を出した《人は「ああ、あ・・・」と声を出して気の毒がった》。

そのあと《後、》奇跡が起きた。そのおじいさんが車を前に動かした途端、車のへこんだ部がポコンと元に戻ったのである。「こんなことがあるのだろうか！」と目を疑った。

ところが、おじいさんは何ごともなかったかのように《何があったのか気づかないまま》ゆっくりと車から降りてきた。そして、おばあさんの手を引きながら病院の中に消えていった《玄関へと向かった》。

タイトルを決定する

タイトルを決めるのは
わが子に名前をつけるようなもの
いろいろ悩んだすえ、ひとつに決める
テーマに係わるキーワードをもとに
コンパクトに表現する
あまりにストレートだとおもしろくない
ユーモアのセンス、会話文、慣用句などを使って
謎めいたものにする

子どもだけの世界　（仮題　月光仮面）

ヒーローとは子どもの心の中にしか存在しえないものかもしれない。

昭和三十年代の日曜の夜七時半。日本中の子どもたちがテレビの前にいた。待っていたのは全身真っ白な衣装を纏い、白いオートバイに乗った正義の味方「月光仮面」であった。月光仮面は毎回両手に持った拳銃を撃ち放ち、悪党たちをやっつけるのである。その番組の初めに、オートバイに乗ってさっそうと走るヒーローの映像とともにわくわくするテーマソングが流れた。

「♪どこのだれかは知らないけれど、だれもがみんな知っている・・・」

子どもたちはその歌を覚え、テレビの前で大声で歌ったものだ。

なつかしい「月光仮面」を何十年ぶりかで見る機会があり、わくわくした。ところが、大きな期待に反して大きな落胆を味わってしまったのである。それは、白黒の画面だったからではない。あこがれの的だったヒーローの考えられない行動が原因だった。なんと！オートバイに乗ったヒーローは鉄道の線路の中をオートバイで走っていたのである。ヒーローであるからどんなことでもできるのではあるが、よりによって線路の枕木の上をボコボコと上下にゆれながら、悪党どもを追いかけていたのである。そんな不自然な映像を見たとたん、なぜ当時の子どもはこんなおかしなシーンを不思議に思わなかったのだろうかと思った。しかし、よくよく考えてみれば、大人になった私が忘れてしまった「子どもだけの世界」が存在していたということではないか。滑稽なシーンを笑ってはみたものの、ヒーローにときめかなくなった自分にさびしさを覚えたのである。

「犬はお好き?」　（仮題　ホームステイ）

ホストマザーはバス停まで迎えに来てくれていた。大きなキャデラックの助手席に乗り込んだ時、ホストマザーが私に言った。

「犬はお好き?」

心の中で私はどう答えようかと迷った。実は、犬はあまり好きではないのだ。

というのも、幼い頃大きな犬に激しく吠えられ、追いかけられたことから、犬に対してトラウマがある。もしかして大きな犬だったらどうしようか。そんなためらいもあって躊躇したのである。しかし、その質問からは、これからお世話になる家にはどうやら犬がいるらしいことがわかった。当然、嫌いだと答えられるはずがない。

「もちろん、大好きです！」

そう答えてしまった。それを聞いたホストマザーはほっとしたようで、満面の笑みを浮かべた。

「よかった。これでよかったのだ。これがコミュニケーションなのだ。」と自分に言い聞かせた。

その犬の名前はミッキー。雑種だがシェパードの血が入っているらしく、かなりの大きさである。しかも驚くことに、ミッキーは「名犬ラッシー」のような賢い犬だった。

その日の夜、その賢さに初めて気づくことになる。夕食が始まろうとしたとき、ホストファーザーがミッキーに向かって言った。

「ミッキー、食事するから外に出ていなさい。」

なんとその言葉を聞いたミッキーはベランダの方に向かってゆっくりと歩き始めた。ミッキーは人間の言葉がわかるらしい。そして、食事が終わったとき、再びホストファーザーが言った。

「ミッキー、もういいよ。テレビを見ていなさい。」

そう言うと、ミッキーはベランダから部屋の中に戻り、ソファの上に跳び乗り、テレビを見始めたのである。

また、その翌朝、朝食の準備をしているホストマザーの声がベッドでまどろんでいる私の耳に聞こえた。

「ミッキー、起こして来なさい。」

すると、ミッキーの足音が近づいてきた。そして、その音が私の部屋の前で止まったかと思うと、ミッキーはドアの板をガリガリと足でかいたのである。私はベッドを出てドアを開けた。

まるで「名犬ミッキー」というドラマに出演したかのようなホームステイだった。

［タイトルの簡潔な表現例］

月光仮面　↓　子どもだけの世界

テーマは「子どもの頃あこがれていたテレビ映画のヒーローがなつかしい」ということ。

そこで、まずはシンプルに

月光仮面　と仮にタイトルをつけて書き始めた。

←

・しかし、月光仮面そのものを紹介するのが趣旨ではないので

ヒーロー　とする。

←

・しかし、ヒーローの子どもに与えた影響こそが話題の中心なので
いくつか考えてみる。

ヒーローと子どもの成長
子どもを育てたヒーロー
子どもだけの世界

・ヒーローということばを出すと内容がわかってしまう感じなので少し謎めいたものに、と思い

子どもだけの世界　に決定した。

［会話文を使った表現例］

ホームステイ　↓　「犬はお好き？」

テーマは「カリフォルニアでのホームステイの思い出」なので

ホームステイ　と仮のタイトルをつけて書き始めた。

・しかし、ホームステイ全般の話ではなく、飼われていた犬についての話なので

ホームステイ先の犬

・しかし、その犬はふつうではなく、とても賢い犬だったこと話題なので

ホームステイと賢い犬 ←

・これでは内容が想像できてしまう。

・「犬」ということばは使いたいが、謎めいたものにしたい。そこで、文中に「犬」を使ったせりふ「犬はお好き?」があるので、そのせりふに対する返事と、そのあとどんな展開があるのか興味をひかれると思い、そのせりふを使うことにして

← **「犬はお好き?」**に決定した。

［慣用句を使った表現例］

緑のボールペン　↓　よりどりみどり

テーマは「子どもの頃にそれまでなかった緑色のインクのボールペンが売り出され、それを買いに行ったときの興奮」なので

・緑色のインクのボールペンがキーワードになるので、まずは

緑のボールペン　と仮にタイトルをつけて書き始めた。

・なぜそんなに買いたくなったのか、それは緑色が好きだったところにはじめて緑色が登場したから、買わず

にはいられなかった。
・緑色がテーマを示すカギになるので、「みどり」をタイトルに使いたい。
・「みどり」を使った粋なことばはないか。

より取り見取り がひらめいた
・「見取り」の音が「緑」と語呂が合うので

よりどりみどり に決定した。

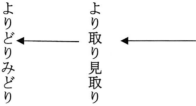

［ユーモアを使った表現例］

カツカレー　↓　カレーなる出合い

テーマは「カツカレーを初めて食べた時の感動」なので

・キーワードはもちろん「カツカレー」

カツカレー　と仮にタイトルをつけて書き始めた

・しかし、これでは魅力がないので、いくつか考えてみる

おいしい出合い ← **カツカレー**

感動のカツカレー

新鮮な組み合わせ

忘れられないあの味
カツカレーとの出合い　など

・やはり「出合い」ということばは外せない。
・しかし、そのまま「カツカレー」と言ってしまえば内容がわかってしまうので
・「カツ」か「カレー」かのどちらかを選ぶとすると「カツ」の方は「勝つ」、「カレー」の方は「華麗」という連想がすぐに浮かぶ、そこで

↓

華麗なるカレーとの出合い　と考えてはみたが

・「華麗なるカレー」は単なるダジャレなので、「華麗」を「カレーなる」にする方がおもしろいから

↓

カレーなる出合い　に決定した

これまでに紹介したエッセイのタイトルを分類すると、次のようになる。

タイトルの簡潔な表現

・戻らない天ぷら　　←　こんにゃくの天ぷら
・一線を引く英国人　←　イングランドのＢ＆Ｂ
・夏の日の情景　　　←　わらびもち
・見上げていた木　　←　木登り
・冷や汗の瞬間　　　←　石垣
・スローモーション体験　←　私の事故体験
・カレーの味わい　　←　母のカレー
・子どもだけの世界　←　月光仮面

会話文を使った表現

・「急いでください」　←　間一髪　→
・「なにこれ！」　←　包丁

・「ワン・モア！ノー・モア！」↑　サンフランシスコのケーブルカー
・「トレビの泉はどこですか」↑　怪しい男
・「犬はお好き？」↑　ホームステイ

慣用句を使った表現

・早起きは三文の得　↑　宝さがし
・似て非なる　↑　私の名前
・東西問題　↑　私の名前
・天の助けか　↑　駐車場の奇跡

ユーモアを使った表現

・焚きつけられた私　↑　風呂焚き
・胃の中のカエル　↑　避難訓練
・ハレと共に去りぬ　↑　生菓子

イラストをつける

エッセイが出来れば
イラストを入れたい
イラストでイメージがふくらむ
イラストはエッセイをひき立てる名脇役
タイトルの下の余白に
シンプルな線画がいい
リアルさや陰影はいらない
落書きのように気軽に楽しんで描けばいい

イラストはタイトルの下に

私の中のバス

昭和三十五年頃のこと。当時のバスといえば、前が突き出たボンネットバスだった。道路もまだ十分舗装されておらず、穴ぼこだらけ。雨の日には、歩行者はバスが来るのを見ると、傘を横にして泥水に備えていた。

車に興味をもっていた私はバスに乗るたび、運転手の横に座った。運転手の行う手慣れた操作をわくわくしながら見つめたものだ。

ボンネットバスには、今のバスにないものがいくつかあった。フロントガラスの真ん中に仕切りが縦に通っていた。当時は今あるような大きなガラスは作れなかったのだろう。今思えば邪魔なものだ。しかし、その欠点をカバーする知恵もあった。その仕切りには一輪ざしが取り付けられていた。実にオシャレであったと思う。

また、クラッチレバーにも、手編みの毛糸カバーがかぶせられていた。クラッチレバーを大事にしている運転手の気持ちが私にもわかった。

さらにおもしろいこともあった。それは方向指示器の扱い方だった。今あるようなライトではなかった。オレンジ色をしたセルロイド製の羽根の形をしたようなものが運転席の窓の外両側に取り付けられていた。ふつうは自動式なのだが、壊れたときには、運転手は何食わぬ顔をして、窓から手を出して動かしていたのであった。

もう一つ。当時のバスには必ず車掌が乗っていた。車掌は乗降口の横に立っていた。乗客が乗ってくると、黒い革のカバンから輪ゴムで止めた切符の束とペンチのような切符切りを取り出した。切符を一枚ちぎり、カチカチとリズムをとりながら、上手に切符に穴をあけていた。

聞けば九州の国東半島に昭和のまちが保存されているらしい。そこには今もボンネットバスが走っている。

どんな絵をかくか

タイトルをそのまま絵にするのはおもしろくない

少しはずしたものを文中のことばからさがす

そのほうがイメージがふくらむ

どのようにかくか

インターネットで無料のイラストをさがし

イメージに合うものを選ぶ

水性ボールペンか万年筆の黒でシンプルにかく

線の太さのちがうものを二種類用意する

仕上げる

スペースとバランスに注意して何枚か描いてみる

輪郭は太いペンでそのほかは細いペンで

清書は描いたものから一つを選び

鉛筆で下書きをして丁寧に描く

エッセイをふやす

書いていくうちに要領がわかってくる
日頃からアンテナを立てて
テーマをさがしメモしておく
でも、「いつでも書ける」と
ついつい先延ばしになる
少しでも時間を見つけて書いていく
何編かできれば印刷して
誰かに読んでもらうといい

●新聞を読んで

消えた鑑

ある日のこと、新聞で國弘正雄氏の訃報を知った。そういえば、しばらく氏の姿をテレビで見ていなかった。

國弘氏は昭和の時代に長い間、教育テレビの「英語会話中級」の講師をされていた。当時高校生の私はその番組を毎週欠かさず観ていた。英語を流暢に話し、外国の知識人や有名人と対談している氏にあこがれていた。そのため、氏がどうやってあのように卓越した英語の使い手になれたのか知りたくなった。そうした折に、著書を出されたので、すぐさま買って読んだ。氏は文化人類学を専門にした大学の教授で、終戦直後、必死に勉強して英語を身に付けたということを知った。

私は大学に入り、東京に住むようになったとき、氏の授業を受けてみたくなっ

た。そこで、氏の授業日を調べ、早速その大学に出かけていった。

氏の授業はもちろん「文化人類学」であった。私は教室に入り、氏が来るのを今か今かと待った。すると、ドアが開いて、私の目の前にあの國弘正雄氏が現れ、すぐに授業を始めた。テレビでいつも聞いている氏ならではの英語で。私は必死にノートを取った。

その後、氏は私の大学で行われた「通訳セミナー」に招かれた。当時神業と思われていた同時通訳以上に難しい逐次通訳をいとも簡単にこなしていた。学者であると同時に通訳者としても活躍している氏を目の当たりにしてますます勉強意欲をかき立てられた。

人の死に立ち会うことの多くなった私だが、國弘氏の訃報に際して、身内を失ったようなさみしさがこみあげてきた。それとともに、氏が活躍しているテレビ番組を一生懸命観ていた若い頃の自分の姿が脳裏に浮かんできた。

当時氏の番組を見て、英語の学習に励んだ若者がどれほどいたことか。氏を手本にして学んだ者たちはみな感謝しているにちがいない。

英語教育に多大な貢献をされた國弘氏のご冥福を心からお祈りする。

●身近な出来事

見失う

退職して買い物に行く機会が多くなった。主に食品購入が目的だ。週に二回ぐらい出かける。以前は休日しか行かなかったが、退職後は平日の午前中に行くようになった。しかも５％引きの日やポイント５倍の日に行くようになった。今や主夫である。

母の足腰が弱くなってから一緒に自動車で行くようになった。買い物カートは杖代わりになるのでありがたいようだ。カートを押しながら母に付き添って買い物を始める。野菜や魚肉、総菜のコーナーを回るのだが、母は歩行も品選びもゆっくりだ。仕方がないのはわかっているが、それでも遅い。スローテンポに合わせられないから、母と離れて店内を回り自分の買い物を済ませる。そのあとまた戻って母と合流する。これが私の買い物のパターンになっている。

ところが、ある時、店内で母を見失った。いるはずの場所に母の姿が見えないのだ。買い物のコースはいつも決まっているから、その周辺を何度か見て回った。平日でも5%引きの日は年寄りと主婦が多い。カートを押した老女を何人か見たが、ちがっていた。お菓子コーナーにも冷凍食品コーナーにも薬コーナーにもいなかった。「もしやレジでは？」と急行して並んでいる客を見渡したが、そこにもいない。焦った。「もう店内放送してもらうしかない」とサービスカウンターに向かおうとしたその時、ふと見た通路の向こうに母が見えた。慌ててかけ寄ると、母は「洗剤の詰め替え用を探しとったんよ。広うてどこに何を置いとんかわからんなあ。」と笑いながら言った。なんとこちらの心配などは一向に気にしていなかった。

安堵したのと腹立たしさとが入り混じり、店内をずっと探し回っていたことや店内放送を頼もうとしていたことなどを言って母を強く責めた。冷静に考えてみれば、確かに年寄りには店が広すぎるし、ついつい買い忘れるということもよくあることだ。少し先まで探しにいけばよかったのだ。あの時母を責めてしまった自分を今責めている。

●年中行事に思う

妄想賀状

今年も元旦に年賀状が届いた。太い輪ゴムで縛られた分厚い年賀状の束だ。早速仕分けにかかった。大半は父宛である。

宛名別に分けるのだが、そのあとさらに振り分ける。年賀状を五段階で評価するのだ。評価5は手描きのイラストや版画などの創意工夫があるもの。評価4は達筆な直筆や手作りの印などがあるもの。評価3は家族写真やきれいな画像を使っているもの。評価2は表裏のどこかに手書きがあるもの。そして残念な評価1は表裏ともすべて印刷したもの。この勝手な基準で賀状を評価していく。要は「一枚の年賀状にどれだけの時間や手間が費やされているか」を観るのだ。

当然ながら、自分の賀状は評価5に値すると思っている。そうでないと、おこがましくて人様の年賀状を評価することなどできない。

私の場合は画用紙に鉛筆やペンで干支の動物の顔を細密に描き、それを高解像度でスキャンしてパソコンに取り込み、はがきサイズに縮小・加工して印刷している。一日仕事だ。そのあと押印し筆ペンで宛名書きをして最後に一言添える。

毎年年賀状を作るのはクリスマスを過ぎてからだ。「もっと早めにすれば」との声もあるが、年末気分にならないと年賀状を書く気になれない。本音を言えば年賀状は元旦に出すものだと思っている。年が明けてから「あけましたおめでとう」と書いて出すのが本来の年賀状だろう。元日に賀状を届けたい気持ちはわかるが、気忙しく出す賀状は誰かの思惑が働いているような気がしてならない。

賀状を書くなら、雪深い古い温泉宿の掘り炬燵の中だ。除夜の鐘を聞きながら一枚一枚ゆっくりていねいに書きたい。素朴な木版か芋版を押して、そこに墨でさらりと一筆したためたい。印刷は一切しない。はがきはこだわって手漉きの和紙を使いたい。それも厚めな和紙で周りが毛羽立っているのがいい。郵便番号は似合わないけれど、書かないのは失礼だから書いておく。そうして書き終えた年賀状を紙の帯で束ねる。

どてらに身を包みマフラーを巻いて外に出る。雪を避けた歩道をしばらく歩いて郵便局の前にある赤いポストに投函する。そのあと山の方に歩いて地元の神社とお寺に詣でる。空気は冷たいが懐かしい温もりを感じる。体は疲れてだるいのだが、気分は清々しく高揚している。宿に戻って祝いの地酒を一杯だけいただき、ほろ酔い加減で布団に入る。毛布の中で胎児のように丸まり、穏やかな春陽の初夢を期待しながら眠りに就く。

初夢ならぬ初妄想である。それはいつもとちがう年末年始を過ごしたい願望だ。でも実現しない。妄想はおめでたいままがよい。

●愛着品のこと

愛着時計

腕時計をしていないと、どうも落ち着かない。寝ている時も顔を洗う時も、風呂に入る時以外はいつも付けている。もう時間に追われることはないのに、左手首に時計がないと不安になる。右手首ではだめなのだ。適度な重量感も大事だ。と書きつつ自分の腕時計を眺めている。

この時計は私の左手首に来てもう二十年近くになる。ネットオークション好きの友人に頼んで競り落としてもらった。六万円くらいの新品を四万円で手に入れた。S社製のオール・チタンで十気圧防水だ。文字盤が夜光で、簡易方位計が付いている。さらに、日付がずれないカレンダーまで付いている。電池駆動で十年くらい動き続けるらしい。月差十五秒とあったが、当初は年に五秒くらいしかずれなかった。この年差五秒の精度の高さが自慢で、秒針を十二の位置に合わせ、

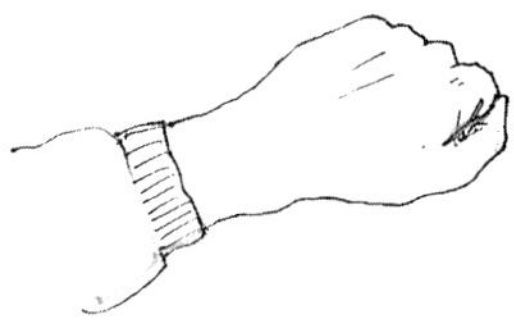

新年と同時にスタートさせていた。

数年後のある日、突然秒針が止まった。十年もつはずの電池が切れたのだ。止まった腕時計を付けているのは哀しく不安である。その日のうちに時計屋に行って電池を交換してもらった。その時に、防水パッキンのゴムが劣化していることを知らされたが、その時は、まだもつだろうとケチってしまった。その後もこの時計は左手首と一体化して動き続けていた。

ところがある日、正確なはずのその時計が三十秒以上遅れていることに気づいた。修正したものの不安は消えない。日付窓のレンズに傷が入って見えなくなっていることもあって、時計屋で見てもらった。防水パッキンの交換と、オーバーホールを勧められた。なぜか自分の体のことを言われているようだった。修理期間は約三か月、費用は二万円と聞いて、しばらく悩んだが、決心してお願いした。

修理が終わって久しぶりに時計が戻ってきたが、見た目は何も変わっていない。日付窓のレンズの傷もそのままだ。長年肌身離さず使っているから他にもあちこちに傷がある。だからこそ自分の時計なのだ。愛着とはそういうものだ。

長い間入院していた妻がやっと帰宅した時のような、そんな気がした。

●旅行であったこと

思わぬ幸運

最近テレビのコマーシャルで耳慣れない言葉を聞いた。「セレンディピティ」という言葉である。辞書には「思いがけない幸運な出合いがあること」とあった。ある鉄道会社のコマーシャルなのだが、それで思い出したことがある。

以前、アメリカのテキサス州に滞在していたときのこと。飛行機好きの私は毎週末に飛行機を乗り継いであちこち小旅行を楽しんでいた。ある週末、ロッキー山脈国立公園をめざし、コロラド州のデンバーに飛ぶことにした。

まずオースチンから経由空港となるダラス・フォートワース空港に飛んだ。ダラスと言えば、ケネディ大統領の暗殺で有名な町だ。この空港は巨大な空港である。おそらく全米でも有数の大きさを誇るものであろう。何しろ各航空会社がそれぞれ大きなターミナルビルをもち、その間を無人の電車がつないでいる。はじ

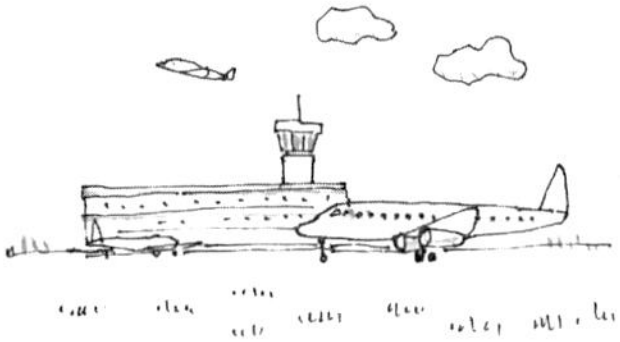

めて想像を超える巨大な空港に降り立ち、興奮を覚えながら、ターミナル内の通路を歩いていた、そのとき、驚くべき光景を目にした。超音速旅客機コンコルドがすぐ目の前にいたのである。

　コンコルドと言えば、昔初めて日本にやってきたときに羽田空港まで見に行ったことがある。音速旅客機の実用化だということで、一目見ようと大勢の人がデッキでごった返していた。だが、その後騒音が原因で日本への乗り入れはなかった。そういういわくつきのコンコルドである。アメリカとヨーロッパとを結ぶ路線では活躍していることは知っていたが、この空港だとは知らなかった。

　しばらくして、デンバーに向けて出発する時刻となった。デンバー空港は全米で最も標高が高い空港であり、ここも大きい空港だった。

　到着後、出口への通路を進んでいたときのことである。何気なく窓の外を見た時、さらに驚くべき光景が目に飛び込んできた。なんとそれはジャンボ機の背中に乗ったスペースシャトルであった。

　飛行機好きの私にとって、一度の旅行で、「コンコルド」と「スペースシャトル」の両方を見る幸運に出合った。これぞ「セレンディピティ」だ。

●テレビを観て

自己犠牲

ラグビー・ワールドカップでの日本チームの活躍に世間が湧き、称賛した。サッカーの国際試合で日本が勝った時にも興奮したが、今回のラグビーには特別な感動があった。その理由はラグビーの競技性にある、と素人なりに考えた。

サッカーや野球もラグビーと同じチームプレイだが、ボールを抱きかかえて走らない。ラグビーにもパスやキックがあるが、ボールを抱えて突進しトライするのが基本だ。だから、前へのパスや落球が反則になっている。ボールを運ぶために激しい肉弾戦が生まれる。プロレスラーのようなゴツイ男たちの肉弾戦だから、卑怯な行為や危険な行為を禁止するルールがある。でないと、みんな血まみれで負傷者続出になってしまう。さすが紳士の国イギリスで生まれたスポーツだ。

ラグビーの特徴がもっとも表れ、見る人を感動させているのは、ボールを持っ

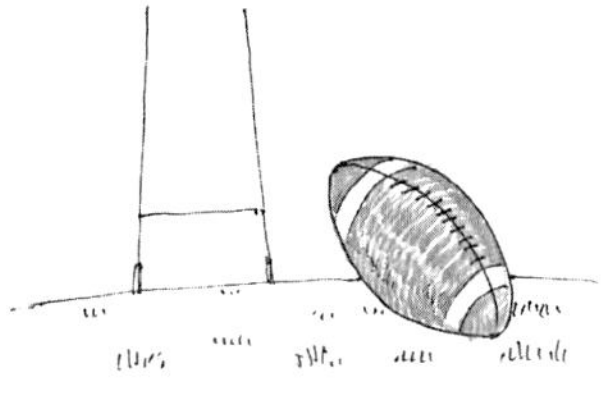

ていない選手たちの動きだ。試合を見る時、ボールを持った選手やその周りの選手に目が向いてしまう。実はボールをパスした後や離れた所での選手の動きが重要なのだ。ボールを前進させるためにすべての選手が身を挺している。それは目的を達成するための自己犠牲の精神と行動だ。これは武士道である。自分が潰れて犠牲になることで仲間を生かし、ボールを繋いでゴールをめざす。ラグビーの感動は、トライのためにチーム全員が積み重ねた自己犠牲が生み出すのだ。ラグビーでよく言われる「オール・フォー・ワン、ワン・フォー・オール」はこのことなのだ。遅まきながら実感した。

このラグビーと同じ自己犠牲に感動したことがある。特攻隊である。自己犠牲の精神と行動が共通しているのだ。戦争体験はもちろんないし、ラグビーの経験もない人間が言うべきことではないかもしれない。でも、ラグビーの自己犠牲の精神と行動の究極が特攻隊と重なる。だから、彼らの精神、魂の美しさに感動するのだ。特攻の英霊たちは無理やり行かされたのでも、無駄死にしたのでもない。祖国を守るため、妻子や親を守るために意を決して命を捧げたのだ。そうでなくては彼らが浮かばれない。私はそう思っている。

●健康について

これじゃいかん

義父は以前から健康によいことをあれこれ試している。先日、その義父から本をいただいた。「断糖のすすめ」という本である。「断糖」から「断頭台」を連想してしまったため、ちょっと抵抗があった。しかし、義理の父がわざわざ買ってくれた本だから積読することもできず、早速読んでみた。

現代人は糖質を取り過ぎており、過剰な糖質が健康を阻害しているというのだ。糖質には砂糖はもちろん、果物や糖に変わる炭水化物も含まれている。要は、糖質の摂取を極力控え、良質のタンパク質を摂る食生活を推奨しているのだ。ビタミン類はサプリで補充すればよいという。著者には三日間断糖して健康を回復した体験があるらしい。文章が平易で図表もあったので、二時間ほどで読み終えた。

本の中に「食品百グラムに含まれる糖質量」や「食べてよい食品・避けたい食

品」等の一覧があった。せんべい、あられ、だんご、カステラ、ドーナツなどは糖質が多く悪玉に挙げられていた。美味しいものが悪玉にされていて淋しかったが、やはり、美味しいものは糖と油でできているのだ。善玉の方には、ほうれん草に豆腐、もやし、ブロッコリー、インゲン豆などがあった。いかにも「お利口さん」的な食べ物ではないか。避けたい食品には、ご飯や麺類、パン類、マヨネーズ、根菜、野菜ジュース、それにコーヒーもあった。何を食べろというのか、と不満に思った。救いは食べてよい食品に、肉類や魚介類、卵があったことだ。

読み終えたあと、自分の腹回りを見て、痩せようと小さく決意した。すぐにパソコンを開き、本にあった食品の糖質量と、食べてよい食品と避けたい食品の一覧表を作って印刷した。それを冷蔵庫の扉に貼ってみて思った。「糖質を断つのは絶対無理。糖質を減らすことならできるかも」と。

それからひと月近く減糖を意識した食事を心がけたのだが、効果は上がっていない。原因はわかっている。食べ過ぎだ。「これじゃいかん」と思いつつ、つい食べてしまう。痩せたい意欲が食べたい食欲に負ける。その甘い心が糖質を求める。かくして食欲の秋はさらに深まっていく。

●食べ物について

鳥肌

妻がゆるキャラのストラップをもらってきた。「とり奉行骨付じゅうじゅう」という丸亀のキャラクターだ。丸亀が城下町なので侍の格好をした骨付き鶏で、老舗の骨付き鶏店を宣伝しているようだ。そのストラップを見て、トラウマになっているある思い出が蘇った。

小学校の低学年の時のことだ。母の出里に行った時、祖父が久しぶりに帰ってきた娘と孫に、肉を食べさせてやろうと思ったのだ。納屋に行って鶏小屋から一羽つかんで出てきた。そのあと、見せるつもりも見るつもりもなかった光景を見てしまった。祖父はつかんでいた鶏の首を包丁でスパッと切り落とした。首のない鶏は数メートル走って倒れた。祖父は両脚を握って逆さにし、羽をむしり始めた。地面に血の付いた羽が折り重なっていった。丸裸になった首のない鶏をもっ

て祖父は母屋に入った。そのあとは見ていないが、子どもの私にも想像できた。その日を境に、祖父が怖くて近づきがたい存在になってしまった。

従弟たちと遊んでいるうちに昼になった。台所からカレーのいい匂いがしてきた。昼ごはんは大好きなカレーだった。子ども時代のカレーはハレの日のごちそうで、手軽に食べられるものではなかったから嬉しかった。従弟たちと座敷で待っていると、目の前にカレーが出された。早速食べようとスプーンを持ったが、カレーを見た瞬間手が止まった。鶏の皮が付いた肉が入っていたのだ。「この肉はあの鶏だ」とわかった。しかし、空腹とカレーの味には敵わない。スプーンの先で鶏肉をすべて皿の縁に寄り出した。いつもならカレーは飲むように食べるのだが、その時ばかりはおそるおそる食べたので少々時間がかかった。

食べ終えた後、台所へ皿とスプーンを返しに行った。皿に残った鶏肉を見た叔母が「あら、肉好かんのかい?」と訊いた。理由を言うことはできず、黙ってうなずいた。顔を上げると、流し台の上に、あの鶏の内臓や骨が並んでいた。

半世紀が過ぎた今でも、一羽まるごとの鶏肉を見ると、ゾクッと鳥肌が立つ。

●流行について

ハッピー・ハロウィン

十月の中旬に地元の天神さんの祭りがあった。秋祭りは本来収穫を祝い神様に感謝する神事だ。近年は少子高齢化や農業の衰退が原因なのか、昔の賑わいはなくなった。これも時代の流れなのだ。

同じ頃、テレビでやたら「ハロウィン」関連の報道が続いた。インターネットで検索してみると、毎年十月三十一日に行われる古代ケルト人が起源の祭りで、秋の収穫を祝い悪霊を追い払う宗教的な行事だった。

月末のテレビ画面には仮装行列のようにいろいろな変装をした若者が群れていた。魔法使いやドラキュラのほか、バットマンにスパイダーマン、ミッキーにミニー、ダースベーダーやキティちゃんもいた。通りは仮装した人たちで埋め尽くされていた。まさにお祭り騒ぎだ。デモよりも熱気があった。

どの仮装も本格的でリアルだ。多種多様、千差万別、十人十色、百花繚乱、魑

魑魅魍魎、支離滅裂、知っている四文字熟語を全部混ぜたような感じで、今の日本を象徴しているかのようだ。そこにルールなどない。何でもありだ。でもみんな楽しそうだ。

そんな映像を見て「平和だなあ!」と思う反面、「これでいいのか?」という不安を感じた。「これが経済成長のぬるま湯の中で平和ボケした日本人の姿なのだ」と。他人事のように批判することが平和ボケの症状なのかもしれない、などとマイナス思考の深みにはまってはいけないので、プラス思考で考えてみた。

ハロウィンがこれほどの盛り上がりを見せているのはなぜか。おそらく、ハロウィンは日本人にとっての「新しい形の秋祭り」なのだ。どちらも元々収穫を祝う祭りだ。日本人は本来祭り好きなのに、都会を中心に次第に祭りが衰退し寂しくなってきた。そこへ飛んできたのがハロウィンの火種だ。若者が飛びついて燃え出し、企業やマスコミ、商売人が経済効果を狙って煽っているのだ。火種を飛ばしたのはきっと彼らにちがいない。

流行のなぞが解け、気分がスッキリした。我ながら何とみごとな推理だろう。実にめでたい。ハッピー・ハロウィン!

●広告を見て

甘い期待

今朝の新聞にクリスマスケーキの広告が入っていた。豪華で美味しそうなケーキの写真が並んでいた。そう言えば、何年もクリスマスケーキを買っていない。子どもたちが大きくなってしまったからだ。

クリスマスケーキが我が家にやって来たのは小学校低学年の時だった。初めてのクリスマスケーキは父が持ち帰った。赤くて四角い大きな箱を見て驚いた。同時に自分の分け前を期待した。だが、箱の中を見て驚いた。ケーキは半分しか入っていなかったのだ。しかも小さかった。買ってきたケーキではなく、もらってきたものだった。

それでも、クリスマスケーキを見るのは初めてだったし、それを食べられる喜びは大きかった。母が切り分けるのをわくわく、ドキドキしながら見つめた。半

分のケーキが半分に切られ、またその半分に切られた。それが私の分け前だった。ちゃんとイチゴが一つ乗っていた。食べられない飾りのツリーやプレートを弟と奪い合い、ケーキの上に乗せて喜んだ。母は切りこぼれたカステラの破片や包丁に付いたクリームをきれいに食べた。残りのケーキは両親の分だと思ったが、母は「これはまた明日分けて食べえ」と言って蓋をした。今なら、「一緒に食べよう」と言えるのだが、その時の私は食い意地の張った幼稚なガキだった。ケーキを愛でたあと、イチゴを除けて皿の端に置き、飾りに付いているクリームをなめた。そのあとでイチゴをじっくりと味わうのだ。

当時のクリスマスケーキはバタークリームを使い、カステラは白っぽくパサパサだった。中に何も入っていないし、イチゴ以外の飾りは食べられなかった。今のケーキは生クリームとしっとりした上等なカステラを使い、中にクリームやイチゴなどが挟まれている。飾りもチョコレートやナッツなどの食べられるもので作られている。絢爛豪華なぜいたく品だ。今なら上等なクリスマスケーキを買うことができる。両親や家族と一緒に食べるとさぞかし美味しいにちがいない。それでも、あのときのような幸福感を味わうことはできないだろう。

●私の主張

これしかない

先日、五年に一度の運転免許の更新に行ってきた。無事故の場合は必要とされる講習を受ける時間がわずか三十分で済む。これまではそのような制度に何ら疑問を持たなかったのだが、今回は少し違った。

　というのも、交通事故を減らそうと県をあげて、いや国をあげて取り組んでいるはずだが、ドライバーのマナーがだんだんと悪くなっている。特に、車線変更や停止の際に方向指示器を使わないドライバーが多い。

　そもそも方向指示器というのは、自分のためにあるのではない。それを使わないのは、他人のことを考えていないから。だとすると、昨今の運転状況は、自分のことしか考えない人が増えているという現状を示しているのである。

　ではこの状況をどうすれば改善できるか。ドライバーの教育の機会と言えば、

「免許更新」のときしかないであろう。しかし、その中身と言えば、いかに事故は怖いかという感情的な指導に終始している感がある。それでは、もったいない。ドライバー全員を対象としているせっかくの教育の機会なのだから、もっと事故を減らすことにつながる努力・工夫をすべきである。

例えば、方向指示器を使うことは法規で示されているのだが、現実にはほとんど取り締まられてはいない。そのため、守らない人が増えている。罰せられないから守らないというのが現実であるから、もう少しきびしくしてはどうか。

また、講習の際に無事故の人を優遇しようとする発想もおかしい。考えてみれば、それまで事故がなかった人というのは、安全意識が甘くなっているかもしれない。講習の時間を短く簡単にするという「ごほうび」の発想ではだめである。事故を起こした人は怖さを痛感しているはずだ。無事故の人にこそ安全運転意識を高める手立てが必要なのだ。

そこで思うのだが、免許更新の際には交通法規をもう一度勉強してもらって、テストを行い、合格しないと更新させない。そうすれば、合格者が減るはずである。その結果車も減り、交通事故は間違いなく減る。これしかない。

●おもしろかったこと

寒い朝

日光での滞在を終えようとしていた朝のことであった。宿は、いわゆる昔ながらの旅籠といった感じで、階段の上り下りもギシギシときしむ音がしていた。昨夜来の冷え込みで心地よい寝床から出るのに勇気がいった。外は鋭く肌を突き刺すような寒気が走っているにちがいない。顔を洗いに出た廊下の窓ガラスも音を立てて震えている。

水道が凍って出ないかもしれない。だが、そんな心配など笑いとばすかのように水は蛇口から勢いよく流れ出た。ところが、その水、あたかも氷に触っているかのような感覚で、冷たいというよりは痛いといった感じだった。

出発の準備ができたので、荷物をもって部屋を出た。勘定しようと玄関に近い帳場へ行くと、宿のおばさんが雑巾を片手にせっせとそこら中を拭いている。

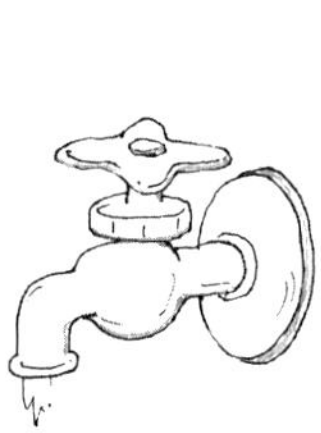

「あのう、お支払いしたいのですが。」

「はい、少々お待ちください。」

そう言うと、そのおばさんはあわてて雑巾をバケツのふちにかけ、エプロンで手をふきながらやってきた。

「寒いですね。」

「ええ、ここらはかなり冷えますからね。」

「そうでしょうね。こんなに寒いと水も凍らないですか？」

するとそのおばさんは、

「はい、ありますよ。」と言いながら、奥へ行って冷蔵庫のドアを開け、

「一本ですか？」とコーラの瓶を手にした。

「いやいや、ちがいます。こんなに寒いと水道の水も凍らないですか、と訊いたんです。」

「あら、そうだったの。」


こんな寒い朝にコーラを飲むか？

●気になったことば

工員船

小豆島の西に豊島（てしま）という島がある。最近はアートの島の一つとして観光客が訪れている。今は大きなフェリーが就航しているが、以前は小さな客船だった。その客船を豊島のお年寄りが「工員船」と呼んでいるのを聞いた。

一体何のことかと思ってたずねてみたところ、豊島と宇野を結んでいる定期便の第一便と最終便をさすことがわかった。大正期の頃、島から宇野の工場へ働きに行く人が大勢いたらしく、その人たちを運ぶ船が朝と夜に出ていた。島の人々は自分たちの生活と深く結びついたその船のことを「工員船」と呼んでいた。現在、その二つの便に工員は乗っていないが、名前だけは残っている。

島の古きよき時代の面影を残すことば、「工員船」。果たして、この先いつまで残り続けるだろうか。

おわりに

父の遺品

　気がつけば、母の死からおよそ二十年の年月が経っていた。あれから少しずつ書き溜めてきたエッセイを取り出して読み返しているうちに「エッセイを書こう」という趣旨の本書を執筆しようと思い立った。そんな折、今度は父の死を迎えることになった。父は母とちがって、なにかと記録を残す人だった。毎日夕方になると書斎の机に向かって日記を書いていた。その姿は今もまぶたに残っている。

　その日記を読むと父に会えるように感じる。父がどんなことを楽しみしていたのか、どんなことを感じていたのかが手にとるようにわかる。そこには子や孫のことが多く書かれていた。あるページには、先に逝った妻の面影に重なる姫芙蓉の花が「今日一輪咲いた」といった日常の何気ない出来事が書きとめられている。中には、「今日は妻が亡くなってから六八九八日目である」と驚くような記述もあった。その記録に父の妻への深い愛情が感じられる。

父は日々の日記のほか、自分が若い頃の「戦争体験」をエッセイに残していた。そのことを知ったのは父が入院していたときだった。来る日も来る日もベッドでの生活を強いられた父の気を紛らわせるつもりで、若い頃の軍隊での体験を聞きたいと話しかけた。話を聞くにつれ、これは記録に残したらいいと思い、「話してくれたらそれをエッセイにまとめるよ。」と父に言うと、「いや、もう書いている。」と言うのだ。「えっ?」と驚いて確かめると、海軍の仲間うちで昔の体験を書き残そうという話になり、父にも声がかかり、原稿を書いて送ったというのである。その原稿が我が家にあるという。早速家に戻って、指示された場所をさがすとその原稿が見つかった。

変色した原稿用紙には次のようなことが記されていた。十九歳で徴兵されたこと、飛行機製造工場で働いたこと、その後海軍の航空機整備兵として九州や朝鮮半島で勤めたこと、終戦後、急いで本土に戻ったことなど、戦争中の体験が簡潔にまとめられていた。それを読むと、徴兵後新兵としていかに厳しい軍事教育を受けたか、いかに歯をくいしばって耐えたか、そして晴れて一人前の兵隊になったときどれほど誇らしく嬉しかったか、など父の気持ちが手に取るようにわかった。

また、ゼロ戦のプロペラにはね飛ばされたが、幸運にも無事だったことや朝一番の整列に一人が遅れたことで全員が廊下に立たされ、上官からバットで尻を叩かれたことなど軍隊でのきびしい生活が目に浮かぶように書かれていた。そのエッセイはまさしく父の青春を描いたドラマを見るかのようだった。

父の葬儀を終えたあと、父がエッセイを残していたことを孫たちに知らせると、それを真剣な表情で読んでいた。孫たちがそれまで知らなかった祖父の一面を見た瞬間であった。そのエッセイは家族にとって父を感じることができる大切な遺品となった。

そのエッセイの最後のページには若い頃の父の写真と海軍のマークが載っている。文章だけでなく写真が訴えてくるものもある。そのエッセイには「桜と錨と七四四日」というタイトルがつけられている。

このたび、「エッセイを書くこと」を広く勧めようと思い立ち、このような形でまとめることができたのは、友人田中崇氏のおかげです。企画の段階から相談すると、本書の趣旨に賛同して表紙デザインやイラストも担当してくれるとともに、多くのエッセイを寄稿してくれました。心より感謝申し上げます。

二〇二〇年　秋

塩田寛幸

著者　塩田寛幸

慶応義塾大学文学部卒。言語社会学を学ぶ。大学四年の海外での体験をきっかけにエッセイを書き始める。エッセイの魅力・楽しみ方を広く勧めたいと本書を企画。

協力者　田中　崇

鳴門教育大学大学院美術専攻修了。本書の出版にあたって制作・アートディレクターを務めた。

エッセイの力
百歳時代を楽しむ知恵

2020年10月20日　初版第１刷発行
定価　1,500円＋税

著　　　者　塩田 寛幸

発行・印刷　株式会社 美巧社
〒760-0063
香川県高松市多賀町１－８－10
TEL 087-833-5811

ISBN 978-4-86387-138-0 C0095